A bilingual picture book in Lakota and English.

Text by Kayo Bad Heart Bull.
Illustrations by František Valer

Produced by the Lakota Language Consortium,
Bloomington, Indiana
www.lakota.org

ISBN 978-1-941458-33-4
Second printing
Printed in USA

Tȟatȟáŋka waŋ wáta ogná ókaȟ yá kéye.

A buffalo is traveling in his boat along the water.

Kimímela zí waŋ heyá kéye:
"Míš-eyá waú wačhíŋ!"

A yellow butterfly says: "I want to come along!"

Núŋpa kiŋ ókaȟ yápi yuŋkȟáŋ héhaŋ
maǧá waŋ heyá kéye:
"Míš-eyá waú wačhíŋ!"

Now they're both traveling along the water. Then a
goose says: "I want to come along!"

Yámni kiŋ ókaȟ yápi yuŋkȟáŋ héhaŋ
igmú tȟó waŋ heyá kéye:
"Míš-eyá waú wačhíŋ!"

Now three of them are traveling along the water. Then, a blue cat says: "I want to come along!"

Waŋná tópa kiŋ ókaȟ yápi yuŋkȟáŋ héhaŋ
šúŋka sápa waŋ heyá kéye:
"Míš-eyá waú wačhíŋ."

Now four of them are traveling along the water. Then, a
black dog says: "I want to come along."

Waŋná záptaŋ kiŋ ókaȟ yápi yuŋkȟáŋ héhaŋ ziŋtkála šá waŋ heyá kéye:
"Míš-eyá waú wačhíŋ."

Now five of them are traveling along the water. Then, a red bird says: "I want to come along."

Waŋná tȟatȟáŋka kiŋ é na kimímela zí kiŋ
é na maǧá kiŋ é na igmú tȟó kiŋ é na šúŋka
sápa kiŋ é na ziŋtkála šá kiŋ iyúha ókaȟ
yápi.

Now the buffalo and the yellow butterfly and the goose
and the blue cat and the black dog and the red bird are
all traveling along the water.

Yuŋkȟáŋ héhaŋ šúŋkawakȟáŋ híŋzi waŋ heyá
kéye:
"Míš-eyá waú wačhíŋ."

Then, a buckskin horse says: "I want to come along."

Yuŋkȟáŋ šúŋkawakȟáŋ híŋzi kiŋ ogná íyotakiŋ na héhaŋ ókağe šni nuŋwáŋpi iyéčhel wáta kiŋ óğeya mnimáhel iyáyapi kéye.

Then the bucksin horse sits down in the boat. Oh, no! The whole boat sinks and now they have to swim.

Heháŋyela owíhaŋke.

This is the end.

tȟatȟáŋka ǧí

kimímela zí

maǧá ǧí

igmú tȟó

šúŋka sápa

ziŋtkála šá

šúŋkawakȟáŋ híŋzi

héhaŋ	then	owíhaŋke	it ends
heháŋyela	so far	sápa	black
heyá	he/she said as follows	šá	red
híŋzi	bucksin colored, dun	šákpe	six
igmú	cat	šni	not
iyáyapi	they went	šúŋka	dog
iyéčhel	in that manner	šúŋkawakȟáŋ	horse
iyúha	all of them	tȟatȟáŋka	buffalo
kéye	it is said	tȟó	blue, green
kimímela	butterfly	tópa	four
kiŋ	the	wačhíŋ	I want
maǧá	goose	waŋná	now
míš-eyá	I also, me too	wáta	boat
mnimáhel	in the water	waú	I come
na	and	yá	he/she goes
núŋpa	two	yámni	three
nuŋwáŋpi	they swam	yápi	they go
óǧeya	all together, the whole thing	yuŋkȟáŋ	and then
ogná	in	záptaŋ	five
ókaȟ	floating	zí	yellow
ókaǧe	to float	ziŋtkála	bird